読まずに死ねない世界の名詩50編

小沢章友 Ozawa Akitomo 編訳
マツオヒロミ Matsuo Hiromi 画

実業之日本社

人生にはいろいろなときがあります。

悲しいとき、苦しいとき、鬱々と悩んでいるとき、絶望しているとき。そうしたとき、この詩集を手にとってみてください。人類の知的文化遺産とも言うべき、世界の詩人たちが私たちに語りかけてくる言葉の力に、癒され、励まされ、いまを生きる勇気と希望がきっと湧いてくるはずです。

なお、ここにあつめられた詩は、最初の行から最後の行までを忠実に訳しているものではありません。もとの詩のもつ美と芸術性を尊重しつつ、詩人たちのメッセージをよりわかりやすく伝えたい。そう願って、原詩の一部を選び、自由に抄訳・編訳・翻案したものです。

目次 contents

第一章 希望の詩

第二章 恋愛の詩

第三章　宇宙の詩

装幀：大岡喜直（next door design）
本文デザイン：増田佳明（next door design）
ＤＴＰ：株式会社ラッシュ

＊詩に付している西暦と国名は、原則的に、詩が書かれたとされる年と場所を示しています。書かれた年が特定できない場合、その詩が収録された詩集の発行年を表記しています。およその目安としてご覧ください。（編集部）

第一章

希望の詩

――人生に希望を、魂に勇気を、
心に優しさをあたえてくれる詩

生きなければ

Le Cimetière marin

ポール・ヴァレリー
Paul Valéry

空よ
真実の空よ
うつろなぼくを
見るがいい

飲むのだ
ぼくの胸よ
いま生まれてきたばかりの
風を

ああ、風が立つ！
生きなければ
もっと強く
生きなければ！

（一九二〇年　フランス）

堀辰雄(ほりたつお)の名作、『風立ちぬ』。

小説のなかで使われている言葉「風立ちぬ。いざ、生きめやも」。この言葉は、このヴァレリーの詩に感激した堀辰雄が、自作にアレンジしたものです。

「世界のどこかで生まれたばかりの風」

それが、詩人の魂のなかを、さわやかに吹きぬけていき、詩人は決意するのです。

「強く生きなければ」と。

ボヘミアン

Chanson de Bohême

トリスタン・クリングソール

Tristan Klingsor

かんじんなのは
苦しみを
笑いとばすことだ

愛する女よ
自分の哀しみで
歌をつくれ

人生は

わけのわからない
苦しみで
いっぱいだから

泣くのがいやなら
自分の哀しみを
笑いとばして
暮らせ

（一九一三年　フランス）

苦しいこと、つらいこと、悲しいこと……。

そうしたことの多い人生を、いかに生きるか。

その答えを、クリングソールは、すっぱりと、明快きわまりない言葉で、告げるのです。

「笑いとばせ」と。

泣くのは、よそう。悲しむのは、よそう。この世は、わけのわからない苦しみにみちているのだから。

「すべて、笑いとばそう」

こんなふうに、思うことができたら、こんなふうに、生きることができたら、どんなにか、いいことでしょうね。

いなくなって

Plainte d'Automne

ステファヌ・マラルメ

Stéphane Mallarmé

ぼくが十三歳のとき
妹のマリアが
ここを離れ
ほかの星へ行ってしまった

なんの星かは
知らない
オリオン星か
アルタイル星か

緑色のヴェニュス星か……

そのときから
ずっと
ぼくはひとりぼっち

いなくなった
マリアに向かって
話しかけながら
ぼくは
かぞえきれない日々を
猫といっしょに
過ごした……

（一八六四年　フランス）

これは、マラルメの散文詩「秋の嘆き」の一節から、エッセンスを汲(く)みあげて、自由に編訳した作品です。ここには、あの宮沢賢治(みやざわけんじ)のメルヘン『銀河鉄道の夜』と同じ、愛の喪失、魂の孤独が詩情豊かにつづられています。幼い日に抱いた、はてしなく遠い星へのあこがれ、愛する者が突然いなくなったあとの、哀切きわまりない追憶の日々。

かぞえきれないほど長い時間を、猫と過ごしながら、決して忘れることのできない、いとおしい死者と、沈黙の対話をつづけている若き日の詩人マラルメの孤独な姿が、眼に浮かんでくるようです。

しかし、このときの孤独な沈潜が、プラスのエネルギーに昇華し、マラルメは詩人として大成していったのでしょう。

富などいらない

Riches I hold in light esteem

エミリ・ブロンテ

Emily Brontë

富なんか
問題にならない
恋なんか
考えただけで
ふきだしてしまう
名声なんか
日が射すと消えてしまう
朝露とおなじ

わたしが祈るのは
ただひとつ
わたしを今のまま
放っておいてほしい
わたしに
かぎりない自由を
あたえてほしい

ときは過ぎ去り
もうすぐ
わたしは死ぬだろう
わたしが望むのは
ただ、ひとつ
なにものにも囚(とら)われない

ひとりの人間として
勇気をふるい
生を耐え
死を耐えること
ただ、それだけだ

（一八四一年　イギリス）

この詩は、エミリ・ブロンテが、二十三歳のときに書いたものです。

その若さで、みずからの死期をさとった諦念と、ゆるがぬ信念が、一行、一行、鋭利な彫刻刀できざみつけられているような詩です。まさしく、彼女の不朽の名作『嵐が丘』の屈折したヒーロー、ヒースクリフこそは、ブロンテ自身の自画像なのでしょう。風が吹きすさぶ荒野をさまよう、孤独な魂の叫び。けんめいに運命をはねのけようとする、ブロンテの祈りの声が聞こえてくるようです。

「生を耐え　死を耐える」という、最後の四行には、ただただ心打たれます。

少年の日

Die Jugend

フリードリッヒ・ヘルダーリン

Friedrich Hölderlin

少年の日に
ひとりの神が
ぼくを叱る叫び声ときびしい鞭（むち）から
ぼくをすくってくれた

ぼくは安心して
小さな森の花々と遊んだ
空のそよ風も
ぼくの遊び友だちだった

森のさざめきが
ぼくの師匠だった
そしてぼくは
愛するとは
どんなことなのか
花々から学んだ

少年の日
ぼくは神々に抱かれて
成長したのだった

（一七九八年　ドイツ）

ヘルダーリンの小説のタイトルとなっている『ヒュペーリオン』とは、ギリシア神話の神の名です。「高みを行く者」という意味があり、有名なオリンポスの神々よりも、さらに以前の神、ティターン十二神のひとりで、「太陽神」「光明神」とも言われています。ギリシアの神々に愛され、神々を愛しぬいたヘルダーリン。まさに、彼の少年期は、こうでもあったろうかと、思わせる詩です。

ヘルダーリンは、のちに、あのニーチェに深い影響をあたえました。

I am like a Rose

わたしはわたしになる

David Herbert Lawrence
デビッド・ハーバート・ロレンス

いまこそわたしは
自己を完成させよう

薔薇(ばら)の樹が
澄んだ樹液を
頂点にまで吸いあげて
緑のなかから
純粋に
自己をひきだして

完全な
薔薇の花となるように
わたしは
わたし自身となろう

（一九一六年　イギリス）

『チャタレイ夫人の恋人』の作者として、世界中に知られている文豪、ロレンスは、「かぎりなく自分になる」ことをめざしたように思われます。

それは「自己実現」という言葉に象徴されるものですが、ロレンスの場合は、もうひとつ、彼独自の思想がありました。それは「人間が宇宙の星たちとの交感を失ったとき、人間は孤独となった」というものです。「だから、我々は星たちの交感をとりもどさなくてはならない」。

この詩に描かれた、薔薇（ばら）とわたしとの交感は、まさに宇宙との交感を比喩（ひゆ）しているようです。

一九一八年の詩集『見よ！　私たちは通りぬけた』の一篇です。

ぼくはおまえだ

Ne suis-je vous

シャルル・ヴァン・レルベルグ

Charles Van Lerberghe

ぼくの指が触れるものよ
ぼくの瞳にうつる光よ
ぼくは、おまえたちで
おまえたちは、ぼくではないのか？

ぼくが匂いをかぐ花よ
ぼくを照らしている太陽よ
ぼくの魂は思う
どこでぼくは終わり

どこでぼくは始まるのか

ああ、いたるところに
ぼくの心が
見出(みいだ)されるのだ
樹木よ
おまえの樹液は、ぼくの血だ
うつくしい河のように
すべてのものは
同じ命を持つ
そして
ぼくらは同じ夢をみる

（一九〇四年ごろ　フランス）

「汝(なんじ)の魂は、全世界なり」

古代インドの聖典、『サーマ・ヴェーダ』の言葉を、そっくり想起させるような詩です。

「ありとあらゆるものが、ぼくだ。ぼくは、始まりであり、終わりだ」

詩人ヴァン・レルベルグは、ながい孤独な放浪のはてに、この思想にたどりついたのでしょうか。

世界のすべてに、自分を見て、自分のすべてに、世界を見る。まさしく、「個が全体であり、全体は個である」という世界観が、ここにはつらぬかれています。

生きる

Odelette

アンリ・ド・レニエ
Henri de Régnier

永遠の愛
それは
よろこびよりも
かなしみ

すべては終わり
また始まる
死んで
ふたたび

よみがえる

だから
たいせつなのは
ただ、生きること
ただ、生きていくこと

（一八九七年ごろ　フランス）

朝、めざめて、夜、ねむる。夜、ねむって、朝、めざめる。

一日、一日、人は、夜に死んでは、また朝によみがえってきます。それが人生というものであり、すべての人に、あたえられた運命です。

ねむりは、死。めざめは、生。

すべて終わりが来れば、はじまるのですから。

「終わりのない、永遠につづく愛は、かえって悲しいものです」と、詩人は告げるのです。

「だからこそ、たいせつなのは、今を生きることです。生きている今を、ただ、ただ、純粋なよろこびを抱いて、生きぬくことです」

ファンタジー

Phantasus

アルノー・ホルツ

Arno Holz

わたしが生まれたのは
七兆年の昔でした
そのときわたしは
一本のあやめでした

わたしの根は
ずっと
さがしもとめてきました
そしてようやく

ひとつの星を
みつけたのです

それは
夢みるような
青い
美しい星でした

わたしは
たっぷりと
おいしい水を吸って
おおきな花を
咲きひらかせたのです

（一八九八年　ドイツ）

大人にも、子供にも、すなおにつたわっていく、まさしく「メルヘン・ポエム」の名作でしょう。

ドイツの大自然のなかで、多感な少年期にはぐくまれた、豊かな詩魂が、「七兆年の昔のあやめ」という、美しいイメージに結晶し、詩人アルノー・ホルツは、かぎりなくやさしい言葉で、現代のわたしたちに、メッセージを送っているのです。

「夢みる青い星を、けっして傷つけないでほしい」と。

真珠

Wir gehen am Meer

マックス・ダウテンダイ
Max Dauthendey

わたしたちは
海辺を
遠くまで歩いていきました
手に手をとって
足が重くなり
海が
とほうもなく大きくなり
わたしたちは
一歩ごとに

小さくなっていきました

いつかしら
わたしたちは
とても小さなものになり
ひとつの貝殻のなかに
入っていきました

わたしたちは
真珠（しんじゅ）のように
深い眠りにつきました

時を忘れて
真珠のように

美しく
眠りつづけるのです……

（一九一〇年ごろ　ドイツ）

この「真珠」のイメージの美しさは、ほかに比類がありません。この詩では、男女の愛が語られているように思われますが、何度も、そのイメージを思い浮かべていると、人類がやがて到達する世界が暗示されているように、思われたりもします。

世界の終わりがおとずれて、人類が、小さな、小さな存在となり、貝殻のなかに閉じこもり、深い眠りに落ちていく。新しいめざめの日がやってくるまで……。

そんな未来を見通した、ＳＦ詩、象徴詩のようにも感じられます。

歌を聴きながら

Aux sons d'une musique

ミロス

Milosz

夏の血をもつ
むすめよ
そのくちびるは
熟した
すもものよう

眠りをさそう
おまえの
つぶやきと

ささやくような歌
夏の血をもつ
おまえの歌を聴いていると
ぼくは思う

そうなる
はずだったのに
そうならなかった
ことを

（一八九九年　フランス）

「そうなるはずだったのに　そうならなかったことを」

この最後の四行に、はっと胸をつかれるかたは、多いのではないでしょうか。

人生は、思いどおりにならないこと、望みどおりにならないことに、満ちています。青春の盛りを思わせる、夏の光を浴びて輝いている、若いむすめ。彼女が口ずさむ歌を聴きながら、詩人ミロスは、あやまちと悔いの多かった青春の日々を思い返しているのでしょうか。

Le Poulpe

タコ

Guillaume Apollinaire
ギヨーム・アポリネール

天に向かって
真っ黒な汁を
吹き出し
愛するものの
生き血をすすり
なんておいしいんだろうと
味わっている
この
情け知らずの

怪物め
でも
それがぼくだ

（一九一一年　フランス）

アポリネールの詩には、生き物を題材にした作品が、この「タコ」以外に、多くあります。「働こう、貧乏詩人。毛虫さえ、苦労して、美麗な蝶になるのだぞ」といった、ユーモラスな「毛虫」から、

「すばらしい女たちが、おまえの犠牲になった」という、シニカルな「蛇」、さらには、「少しずつ僕の命をかじる」という、ブラックな「二十日鼠」まで、詩人の視線は、あまたの生き物たちをするどく観察して、やみません。

デッサン

Nachzeichnung

ゴットフリート・ベン

Gottfried Benn

おお、年月よ
夜明けの緑色の光よ

ひっそりと
しずまった時間に
あわい緑の眼を
またたかせて
おぼろげに
光っている色たちよ

魔法の緑で
描かれたものたちよ
輪舞する
ガラス絵よ

木々の緑にふりそそぐ
雨のなかで
ぼくは古い森の歌を聴いた
それは、ぼくが遠い昔に通りぬけた森だ
けれどぼくは
あの歌が鳴りわたっていた
広間には入らなかった

ピアノの鍵盤(けんばん)は沈黙し

ピアノを弾く手は
どこかに埋まっていたから……
でも、その手が弾いた
森の歌は
春の暗い日々に
雨のなかで
永遠の草原に向かって
ながれてゆく……

（一九三七年ごろ　ドイツ）

エリック・ロメール監督の『緑の光線』という、フランス映画があります。太陽が水平線に沈んでいくとき、一瞬、空をいろどる「至福の緑色」が出現するのですが、心の空白を抱えて苦しんでいたヒロインは、それを見て、涙します。

ゴットフリート・ベンの書いた、この「緑色の光」とは、どんな光なのでしょうか。

少年のころに体験した、なにかが、ひそやかに息づいて、なにごとかをつたえようとしていた、魔法の時間。そのときに流れていた、胸にしみいってくる音楽。

遠い日の小学校の教室や、遊び場の思い出が、あざやかによみがえってくるような詩です。

この詩は、一九三七年から一九四七年の間に書かれた詩集『静学的詩篇』の一篇です。

母の夢

The Mother's Dream

ウィリアム・バーンズ
William Barnes

今夜、わたしは夢をみました
ほんとうに悲しい夢でした
夢からさめて
いつまでも泣いていました
わたしを残して逝（い）ってしまった
あの子の夢だったからです

夢のなかで
わたしはあの子をさがしまわって

天国にいました
そこへ一列になったこどもたちがやってきました
みんな可愛(かわい)らしく
どの子も白い衣をまとって
あかるいランプを持っていました
どの子の顔も
はっきり見えましたが
だれもわたしに話そうとはしませんでした

そのうちに順番がきて
あの子がやってきました
けれど、どうしてか
あの子の持っているランプの光が
消えていました

なぜなのだろうといぶかしく思っていると
あの子はなかば顔をそむけて
わたしに言いました

「お母さんのなみだでランプが消えたんだよ
お願いだから、もう泣かないで」

（一八七九年　イギリス）

母性愛というものを、これほど、せつせつと歌った詩は、ほかに例を見ません。

マーラーの『亡き子をしのぶ歌』が、聞こえてくるようです。

これを書いたのが、男性であるウィリアム・バーンズということに、驚かされます。

イングランドの聖職者だったバーンズの心のなかには、死者たちを思うひとびとの悲しみ、とりわけ、幼くして子を亡くした母たちの悲しみが、たえず流れていたのかもしれません。

ソネット

Stilles Sonett

ヨハネス・ベッヒャー
Johannes Becher

草もそよがない
しずけさ
風は
樹のなかにこもって
そよぎもしない

それは
しずけさのなかへ
深く深く

沈んでいこうとする
しずけさ
しずかに死んだひとたちをおもう
しずけさ

しずけさがささやく
さあ
しずけさへお帰りなさい、と

（一九四五年　ドイツ）

「閑さや　岩にしみ入る　蟬の声」
松尾芭蕉の名句に通じるような、ベッヒャーの詩です。生と死のさかい、薄明のさなかを、幽玄な調べが、ただよっているようです。
耳をすませば、しずけさが、死者たちの沈黙のしずけさに、つながっていく。
耳が痛いような、このしずけさの底には、はたして、なにがあるのでしょうか。

虹

The Rainbow

ウィリアム・ワーズワース
William Wordsworth

大空に虹がかかったとき
わたしの胸はおどった

ちいさいころもそうだった
おとなになったいまも
そうなのだ
どれほど年老いても
胸をおどらせたいと
わたしは思っている

そうでなければ
生きている意味がない、と

こどもは
おとなの父親なのだから

わたしは願っている
これからの一日、一日が
自然をうやまい
聖なるものをうやまう心に
みたされていることを

（一八〇七年　イギリス）

「こどもは　おとなの父親なのだから」

この、一見、さかさまの言葉に、ワーズワースのメッセージが、端的にあらわれているのではないでしょうか。

思えば、なんに対しても、新鮮なおどろきとよろこび、おそれを感じていたこどものころ。このときの、感じやすい、いきいきと躍動する心を失ってしまったなら、生きている意味がない、とまで、ワーズワースは言い切っているのです。

まぼろし

La Vision

アンナ・ド・ノワイユ
Anna de Noailles

死んだひとたちに
つたえておくれ
わたしはもの憂く
つかれきった
まぶたをしている、と
黄昏がくると
わたしはおどり

長いローブの裾（すそ）が
風に
みだれる、と

死んだひとたちに
つたえておくれ

夜がくると
わたしは泉のそばに
ふせって
おまえたちを
想っている、と

むなしく

まぼろしを
抱きしめている、と

（一九二四年ごろ　フランス）

能の名作「卒都婆小町（そとばこまち）」の、幽玄きわまりない世界を、ほうふつとさせる詩ではないでしょうか。

日盛りがとうに過ぎてしまった、しずかな夕暮れどき。死んでいった者たちをひそかに思い、なにごとかを死者たちにつたえようとしている、物憂（ものう）いおもざしの、すがれた花のような女性。

まさに、フランス映画『まぼろし』に出てくる名女優、シャーロット・ランプリングの、かつては輝くばかりに美しかったのに、いまは、忍び寄る老いにむしばまれた、優雅にして孤独な姿を、思い浮かべてしまいます。

第二章

恋愛の詩

——いま恋愛しているひと、かつて恋愛していたひと、
これから恋愛しようとしているひとに捧げる詩

血を吐く恋

Neuer Frühling

ハインリッヒ・ハイネ
Heinrich Heine

ひとを
恋する心は
咲いては
しぼみ
また咲きひらいては
しぼむ

死ぬまで
それをくりかえす

恋する心の
歓(よろこ)びと悲しみの
さだめを知り
わたしは
ひと知れず
血を吐きつづける

（一八四八年　ドイツ）

恋に苦しみ、恋に傷つき、「こんなに苦しいのなら、もう、恋などするものか」と、思った経験は、誰しも覚えがあるのではないでしょうか。けれど、どんなにそう思っていても、なぜか、ふたたび、恋してしまう。「恋」というものの、どうにもならない、思い通りにならない、歓びと悲しみ。それを、これほどあざやかに歌った詩は、古今東西、類をみません。

まさしく、ハイネこそは、「恋愛詩人」の名にふさわしいと言えるでしょう。

見知らぬひと

To a Stranger

ウォルト・ホイットマン

Walt Whitman

行きずりのひとよ
どれほどぼくが
あなたを慕（した）わしく見ているか
知っているだろうか

あなたこそ
ぼくが求めていた相手だった
この世のどこかで
ぼくは

あなたと歓びあふれる
生を生きたのだ
おたがいが
かぎりない愛情を抱いて

ふとすれちがった時に
すべては思い出されたのだ

あなたは
ぼくとともに成長した
ぼくの愛した
ぼくの恋人だった、と

（一八五五年　アメリカ）

ちらっと、道ですれちがっただけの人なのに。あるいは、電車のなかで、たまたま、前にすわっていただけの人なのに。「ああ。この人だ。自分がさがしていた人は、この人なのだ」と、胸が痛くなる経験をしたことはありませんか。

どうして、この人と出会わなかったのだろう。もっと前に出会っていれば、全身全霊をこめて、愛することができたはずなのに。いや、そうじゃない。どこかで、自分はこの人を愛したのだ。自分とこの人は、愛し合って、ともに成長してきたのにちがいない……。

ホイットマンのこの詩には、真に愛する相手と一生出会うことがないかもしれない、人生の不条理な運命が語られているようです。

荒野

The Wilderness

シドニー・キーズ
Sidney Keyes

赤茶けて岩だらけの
荒野が
ぼくの棲(す)む家だ

いとしいおまえよ
泣くのはおやめ
ぼくを
荒野から探そうとしないでおくれ

おまえは
聞こえない音楽に耳を澄まし
手に花をにぎりしめ
もうひとつの手に蠟燭を持ち
暗い部屋に
すわっていなければ

ああ、この声はだれの声か
乾いた花のように
砂漠に吹いてくる声は
おまえの声だろうか

ぼくは言おう
愛は荒野だ

散らばった骨は
青春の死を告げているのだ
ぼくらはともに行こう
前へ、前へ
すりきれた愛を荒野に残して

（一九四二年　イギリス）

なんという野性的で、荒々しい恋愛詩でしょう。さながら、「青春の墓標」が風に吹きさらしになっているような詩です。

ひとを本気で愛したとき、相手に、こんなふうに言えたなら、どんなにかっこいいだろう。そう思わせる詩では、ないでしょうか。

「ぼくを荒野から探そうとしないでくれ」

「愛は荒野だ」

はてしなくひろがる荒野で、ハードロッカーのような、荒ぶる吟遊(ぎんゆう)詩人の叫びが、聞こえてくるようです。

まごころの愛

Let me not to the marriage of true minds

ウィリアム・シェイクスピア
William Shakespeare

まごころの愛に
よけいな口をさしはさまないでくれ
愛は、ゆるがないものだから
相手の心変わりによって変わるような愛は
まごころの愛ではない

愛は、嵐にあおうと変わらない
愛は、大海原(おおうなばら)をさすらう小舟にとっての
北極星なのだ

その価値は、はかりしれない
愛は、時間にもてあそばれる
道化などではない
たとえ
薔薇色のくちびるや
ほほが
いかに色あせても

年月がどれほど過ぎていこうとも
すこしも変わらず
世界の終りまでつづく
それが愛なのだ

もしも、これがあやまりで
わたしの考えが
まちがっていたとしたら
わたしは
詩を書かなかったとおなじ
この世で
だれも愛さなかったとおなじなのだ

（一五九六年　イギリス）

シェイクスピアの劇中、登場人物たちが舞台の上で悲しみにみちて、あるいは喜びにあふれて語るセリフは、そのまま不滅の名言となる深い洞察につらぬかれています。

堂々たる愛の宣言とも言うべき、この「まごころの愛」を、舞台で朗々と語るのにもっともふさわしいのは、シェイクスピアが創造した、どの物語の、どの役者なのでしょうか。

それは、ロミオでもなく、ハムレットでもなく、ジュリアス・シーザーでもなく、真実の愛をほんとうに信じてやまなかった、シェイクスピア本人ではないでしょうか。

夕暮れの扉

Qui pleure à ma porte à la fin du jour

シャルル・ゲラン
Charles Guérin

夕暮れどきに
わたしの部屋の扉で
しくしくと
泣いているのは
だれ？

あけておやりなさい
それは
「恋」なのですから

夜もふけて
わたしの部屋の扉を
はげしく
たたいているのは
だれ？

あけておやりなさい
それは「死」なのですから

（一八九六年　フランス）

どうしても、思いがかなえられない恋。どうしても振り向いてくれない相手。

あまりにもつらくて、夕暮れ、泣き濡(ぬ)れていると、幻聴のように、扉をたたく音が聞こえてくる。耳を澄ますと、たしかに、扉をたたく音が。

「もしかしたら、あんなに冷たかったあのひとが、後悔して。でも、まさか、そんなことが」と、疑心暗鬼で、ためらい、ためらい、扉をあけると……。

「恋」のせつなさ、くるしさを癒(いや)してくれるのは、「死神」しかいないのでしょうか。

三度のキス

Comedié en trois baisers

アルチュール・ランボー
Arthur Rimbaud

彼女って
とってもこまらせるんだ
ぼくのお気に入りの
大きな椅子（いす）に
彼女は両手を組み
なかば裸ですわっているのさ
かわいい足先は
ちろちろと
床の上でゆれているんだ

ぼくは青ざめて
彼女をみつめているばかりさ
木洩れ日の
ひとすじの光が
彼女の乳房へ
ちらちらと射しているんだ

とうとうぼくは
一度めのキスをした
彼女のきゃしゃな足首にね
声高く彼女は笑った
ふるえる
水晶のような声で

「よしなさいってば」
彼女のかわいい足は
シュミーズの裾（すそ）のなかに逃げようとした
でも、いやじゃなさそうだし
ぼくは彼女の足から
くちびるを離して
彼女のまぶたに
二度めのキスをしたよ

「あら、いけないひと」
彼女は顔をひいて
やさしく叫んだ

ぼくは
ここぞとばかり
彼女の乳房に
三度めのキスをしたよ
彼女は笑ったよ
いいわと言わんばかりに……

だから彼女は
とってもしどけないんだよ
あ、庭の栗(くり)の木は
ちっとも遠慮なんかしないで
葉先で、窓ガラスを
思わせぶりに
撫(な)でまわしていたよ

(一八七一年　フランス)

——見つけたよ。
——なにを?
——永遠さ。海に溶ける太陽さ。

鮮烈なイメージで、耳に残り、眼に灼(や)きつく、『地獄の季節』のこの一節。これこそ、フランス詩壇の寵(ちょう)児(じ)にして、スキャンダラスな革命児、アルチュール・ランボーの真骨頂とも言えるでしょう。

この詩は、ランボーがもっとも多作していた、十七歳の時期の傑作で、明るい、ユーモラスなやんちゃぶりが、ほほえましく思われます。

夢のなかの少女

Zwelen Kommen die geliebte Frauen

フーゴー・フォン・ホフマンスタール
Hugo von Hofmannsthal

いちども
愛したことのないはずの
女のひとが
ときおり
わたしの夢のなかに
少女となって
あらわれてきます

夢からさめると

わたしは
少女といっしょに
日暮れどき
遠い道を
どこまでも
歩いていったような気がします

（一八九四年　ドイツ）

なんという、哀切きわまりない詩でしょう。これは、男性にとっての、まさに理想の夢ではないでしょうか。ときおりの夢に、いつも、あらわれてくる少女がいる。知らない少女なのに、なぜか懐かしく、胸がときめいてしまう。夢からさめても、その少女の姿が離れていかず、ずっと、ふたりで歩いていったような記憶が、頭のなかにたゆたっている。

こんな夢をみたら、一日中、少女の面影を追って、ぼうっとしてしまいそうです。

イニシャル

Initiale

レーモン・ラディゲ
Raymond Radiguet

砂の上に
ぼくは書いたよ
ぼくとおまえが
抱きあっている
すてきな
イニシャルを

でもね

ぼくは知っているよ
ぼくらの恋は
この砂の
イニシャルよりも
先に
消えるってね

（一九二〇年ごろ　フランス）

三島由紀夫(みしまゆきお)が、その資質と才気を愛した、夭折(ようせつ)の天才作家、レーモン・ラディゲ。

恋する者・恋される者の心理を、するどく観察し、透徹した文体で繊細無比に描写した小説『肉体の悪魔』。それと同じ感覚が、ラディゲの詩には、つらぬかれています。

「イニシャル」という、恋を揶揄(やゆ)したこの詩には、甘さのみじんもない、冷えきった白ワインのような、透明で上品な味わいが、たゆたっているようです。

たましいの愛

Les Heures Claires

エミール・ヴェルハーレン
Émile Verhaeren

わたしたちのくちびるが
触れ合えば
なんと世界は明るく輝くことだろう
さながら神々が
わたしたちのなかで
愛し合っているかのように

あなたの乳房は
捧(ささ)げもののように神々しく光り輝き

あなたの手は
わたしを愛撫（あいぶ）してやまない

夜は青い銀の色
しめやかな美しいねどこで
やわらかな夜の風が
百合（ゆり）の花びらを
ひとひらずつ摘んでいく

からだを捧げ合うことは
ふたつの
愛するたましいが
やさしく触れ合うこと

だから、わたしは捧げよう
あなたの涙に
あなたのほほえみに
あなたのたましいに
わたしのたましいの愛を
涙と、ほほえみと
接吻(せっぷん)をそえて

（一八九六年　フランス）

この詩は、ヴェルハーレンが、妻のマルトを歌った作品です。これほどにも深く、やさしく、しかも官能的に愛し合う夫婦の姿には、感動と同時に、うらやましさを感じさせられます。まさに、詩人にとっては、妻は最愛のひとであり、詩作におけるかけがえのない霊感の泉、ミューズだったのでしょう。

「琴瑟相和(きんしつあいわ)す」という、『詩経(しきょう)』に出てくる美しい言葉が、この愛し合う夫婦には、ぴったりに思えてなりません。

薔薇

Les Roses de Saadi

マルスリーヌ・デボルド＝ヴァルモール
Marceline Desbordes-Valmore

あなたに薔薇（ばら）をとどけよう
今朝、思い立ったの
でも、むすんだ帯に、摘んだ花を
たくさん挟んでしまったので
むすびめがはりつめ
ささえきれずに
はじけてしまったの

薔薇は風に舞い散って

海に向かって
飛び去ってしまったの
波のまにまに
さらわれて
もう二度ともどってはこないわ

波は薔薇に染まり
赤く燃えたっていたわ
そして今宵
わたしの衣装は
まだ薔薇の香りにみちているわ
だから
薔薇のかぐわしい香りを
わたしから吸いこんでほしいの

（一八五七年ごろ　フランス）

古典的なフランス映画に出てくるような、美しい貴婦人が、ひだかざりの多い衣装の帯に、たくさんの薔薇をはさんでいる光景は、そのまま美しい映像になりそうです。
まさに真紅の輝きで、薔薇がはなやかに香り立っている詩であり、これは、逆立ちしたって、男性には書けない、女性特有の美感にみちた作品ではないでしょうか。この詩は『遺稿詩集』（一八六〇年）に所収されています。

愛のなごり
Les Chansons de Bilitis

ピエール・ルイス
Pierre Louÿs

あなたが去ったあとの
愛のねどこは
あなたのからだのかたちが
そのままに
残っているわ

だから、わたしは
湯浴(ゆあ)みはしない
着物も着ない

髪だって、くしけずらないわ
あのひとの
愛撫のなごりが
消え失せないように

そうして今朝も
今夜も
なにも食べないでおくわ
くちびるには
紅もささず
ほほに
白粉もぬらないの
あのひとのくちづけが
消え失せないように

鎧戸(よろいど)は閉めておくわ
扉も開けないわ
あのひとの
思い出が
風に吹かれて
飛び去らないように

（一八九四年ごろ　フランス）

愛する相手が去ったあとの、けだるい時の流れ。まだ、心と体に残っている官能の波。

愛とエロスが、じつに優美に歌われているこの詩が、ピエール・ルイスという男性詩人によって、歌われていることに、おどろかされます。

この詩句をはじめ、架空のギリシア女流詩人が歌ったというかたちで描かれた、『ビリティスの歌』。濃密きわまりない、愛の物語歌集を創造したルイスは、女性以上に、女性的な、すばらしい芸術感覚をもっていたのでしょう。

歌曲

Chanson

マリー・ノエル

Marie Noël

わたしは縫って
縫って
縫って……

でも、わたしの心よ
おまえは
なにを縫っていたの？

わたしは話して

話して
話して……

でも、わたしの心よ
おまえは
誰に話していたの？

わたしは恋して
恋して
恋して……

でも、わたしの心よ
おまえは
なんに恋していたの？

（一九三〇年ごろ　フランス）

その女性は、一心に、なにかに熱中しているのでしょう。彼女の心は、どこか遠くにあり、なにかを探しもとめているようです。でも、そのなにかがわからないまま、彼女は、けんめいに針糸を使い、誰かに話しかけ、そして、恋に身を灼きつくそうとしているのです。そして、ふと、われにかえると、彼女は思うのでしょう。

いったい、わたしは、なにをしているのだろう。わたしの心は、どこへ行こうとしているのだろう。わたしの恋は、誰に向かっているのだろう……。

手

La main

レミ・ド・グールモン
Remy de Gourmont

かつては歌っていた手
かつては話していた手
かつては人のようだった手よ
どのようにして
手はあたえ
手はうけとったか

かつては恋していた手よ
恋の歓(よろこ)びを

悲しみを
つらさを
叫んでいた手よ

夢と幻の手よ
愛撫（あいぶ）する手よ
ふるえる手よ
やさしい手よ
いつわる手よ
たくみな手よ

おお、手よ
美しい乳房の上に
祈るように

組まれていた
おまえの
いとしい
いとしい手よ

（一九一二年　フランス）

グールモンの詩には、濃密なフェティシズムを思わせる、女性の「髪」や「手」「心臓」など、身体を「愛」のかたちとして、描いたものが数多く残っています。

川端康成(かわばたやすなり)の短編に、「片腕」という名作があります。とりはずされた「腕」が恋したり、勝手に動きまわったりする、幻想的、かつ官能的な作品です。

まさに、グールモンのこの詩は、「手」が心をもち、その動きとともに、なまめかしい愛とエロスが発露され、さらには、その果てにおとずれる敬虔(けいけん)な祈りを、つづっているように思われます。

愛すなわち詩

L'Amour, la Poésie

ポール・エリュアール
Paul Éluard

ぼくは夢みる
おまえのいなくなった世界で
眠るぼくを夢みる
夢みるぼくを夢みる

愛することの自由
愛さないことの自由
そのあいだに
重い空気がながれている

そのことをおまえは知っているか

これ以上
なにも視(み)たくないから
ぼくは眼をとじた
すると
涙がこぼれた
もう、おまえを見られないと思って

（一九二九年　フランス）

フランソワーズ・サガンの名作、『悲しみよ　こんにちは』という小説のタイトルは、この詩人、ポール・エリュアールの詩句から、取られています。

「愛」は、「死」と、切り離すことができず、密接につながっている――。多くの神話や伝説には、「愛と死の物語」が語られてきました。『トリスタンとイゾルデ』『ロミオとジュリエット』などに見られるように、究極の「愛のかたち」は、「死のかたち」となっていくのでしょうか。

「愛すなわち死」とでもいいたいようなこの詩は、まさに、二十世紀の「愛の神話」とも言うべき作品です。

仲直り

Versöhnung

エルゼ・ラスカー＝シューラー

Else Lasker-Schüler

ひとつの
おおきな星が
ひざに落ちてきて
わたしたちは
夜にめざめます

わたしたちは
夜に仲直りをしましょう
たくさんの神々が

みまもっているのですから
愛し合うとき
わたしたちは死なないのですから

ひとつの
おおきな星が
わたしのひざに
落ちてくるのですから

（一九四三年ごろ　イスラエル）

ラスカー＝シューラーの告げる、おおきな星とは、「愛の聖霊」なのでしょうか。

昼間はどんなに激しくいがみあっていても、夜がおとずれ、天空に星が輝くころには、争いの種も消え、神々にみまもられて、愛の儀式が、しめやかにおこなわれるのです。

そのとき、「愛」は、「不死」の象徴となる。詩人ラスカー＝シューラーはそう告げているようです。

立像の歌

Das Lied der Bildsäule

ライナー・マリア・リルケ
Rainer Maria Rilke

たいせつな生命をふりすててまで
わたしを愛してくれるのはだれだろう
だれかがわたしのために
海に溺(おぼ)れて死んでくれたなら
わたしは囚(とら)われた石からときはなたれ
生命のなかへ
よみがえることができるだろう
石はこんなにも静かだから

わたしはあたたかい血潮にあこがれ
生命を夢みている
ああ、だれか
わたしをめざめさせる
勇気をもつものはいないのだろうか

けれど、わたしが
生命のなかによみがえったなら
わたしは泣くだろう
わたしが捨て去った石を想って泣くだろう
わたしの血が葡萄酒のように
熟したとしても
なんの役にたとう

わたしを愛して生命をすてただれかを
よみがえらせることが
わたしにはできないのだから

（一九〇二年　ドイツ）

——たとえ私が叫ぼうとも、天使のうちのだれが聴いてくれよう。

『ドゥイノの悲歌』第一歌に見られるように、リルケの詩には、美神が宿る絶唱ともいうべき刻印があります。いずれの詩にも、「愛」と「神」と「生命」が、敬虔（けいけん）な祈りとなって、脈打っているのです。

石像が、「生命」の熱い血を望んだときに、みずからの「生命」を犠牲にして、自分をよみがえらせてくれた、だれか。「愛」のために死んでくれた、だれかを思って泣く石像。

まさに、ここには詩人リルケの深い「愛」の祈りがこめられているようです。

第三章

宇宙の詩

――一瞬で、これまで見えていた世界を変えてくれる詩

ルバイヤート
Rubaiyat

オマル・ハイヤーム
Omar Khayyām

もともと無理やり
ひっぱりだされたんじゃないか
生きて悩んで
ほかになにかあったか？
そしていま
なんのためにやって来て
ここを去るのやら
なんにもわからず
いやいやながら死んでいくのさ

われらが行ったり来たりする
この世界は
もともと始まりもなければ
終わりもなかったのさ
われらはどこから来て、どこへ行くのか？
そんなこと
だれにも答えられないさ

ああ、神のように
宇宙をつくることができたらなあ
そうしたら、こんな宇宙は
ぽいと捨てるのに
そして、なんでも意のままになる宇宙を

新しくつくるのになあ

（十一世紀末〜十二世紀前半　ペルシャ）

これぞ、ユーラシア大陸。これぞ、アラビアン・ナイト。そう言いたくなるような、壮大きわまりない、宇宙的なスケールの詩ではないでしょうか。「われら、いずこより来たりて、いずこへ去っていくのか」。古代人にとっても、現代人にとっても、けっして解けることのない、永遠の謎とされるテーマが、ここでは、悠久(ゆうきゅう)の大河の流れにも似た調べで奏(かな)でられています。「宇宙を捨てる」、「宇宙をつくる」という、とんでもなく、すっ飛んだ言葉が、こんなにも楽々と、ユーモアたっぷりに、歌われていることに、まさに脱帽したくなります。

Avant-dernier mot

最後のひとつ前につぶやくこと

Jules Laforgue
ジュール・ラフォルグ

宇宙だって？
ぼくはあそこで死ぬのさ
生きたあとをひとつも残さずに

ほんとうのことを知りたいかい？
地球をとりまく
あの天蓋（てんがい）はとても無情なのさ

女だって？

ぼくはそこから生まれてきたのさ
魂のなかに
死を抱きしめてね

ほんとうのことを言うよ
別々の方を見ている
恋人同士がいちばん愛しあえるんだ

夢だって?
なかなかいいものさ
とぎれることなく
終わりまで
ちゃんと見られたらね

ほんとうのことを言うよ
ぼくらの
人生は短いのさ
そう
夢はながいけれどね

（一八八七年ごろ　フランス）

「宇宙」「女」「夢」。

この三つをとりあげて、「ほんとうのことを言うよ」と、ざっくばらんに語られるこの詩には、ラフォルグ独特の世界観が横溢(おういつ)しています。

一見、通常のものの見方をばっさりと否定するような、つきはなしたような辛辣(しんらつ)さに満ちていますが、詩人ラフォルグが、「最後のひとつ前につぶやく」言葉には、虚飾のない、「真実の認識」が秘められています。

この詩は、『最後の詩集』(一八九〇年)に収められています。

魂の歌

Gesang der Geister über den Wassern

ヨーハン・ヴォルフガング・フォン・ゲーテ

Johann Wolfgang von Goethe

魂は
水に似ている
天より地に落ちて
天へのぼる
ふたたび天から
地に帰る

こうして魂は
永遠に変転する……

（一八一二年　ドイツ）


「魂の遍歴」は、文豪ゲーテの終生追い求めたテーマでした。悪魔にそそのかされた「ファウスト」が、いったんは堕落したあと、清らかな乙女グレートヒエンによって、魂が浄化される物語こそ、ゲーテが夢見たものだったように思われます。

　この詩では、ひとの魂は、くりかえし、くりかえし、地上と天を往復していく「水」のようなものだと、ゲーテは告げているのです。

　あの幻視者、ウィリアム・ブレークの荘厳な宗教的絵画をほうふつとさせる詩です。

たんぽぽ
Löwenzahn

ヨーゼフ・ヴァインヘーバー
Josef Weinheber

どんな花瓶だって
おまえを
ほしがりませんよ

どんな愛のあかりだって
おまえに
灯(とも)されることは
ありませんよ

でも
たんぽぽさん
あなたの
空の雲のような
白い毬(まり)は

ほら
宇宙が芽生える
夢をみていますよ

（一九三七年ごろ　オーストリア）

「宇宙」と「たんぽぽ」。

かぎりなく大きいものと、ごく、ごく、ささやかな、小さなもの。

この対比が、すばらしい効果をうみだしています。まさしく、すべてのものは影響しあっているという「万物照応（ばんぶつしょうおう）」「コレスポンダンス」の概念が、ここでは、美しい詩となって結晶しているようです。

「宇宙の芽生えを夢みる、たんぽぽ」

これこそ、究極の詩ではないでしょうか。

秘儀

Geheimnisse

ハンス・カロッサ
Hans Carossa

この地上で
生命が
緑の色にそだつためには
天上で
かぞえきれない星が
燃えつづけなければならない

この地上が
わたしたち人間の

故郷となるためには
かぞえきれない
涙と血が
大地に
沁(し)みこまなければならない

(一九一〇年ごろ　ドイツ)

生命とは、なにかしら、かぎりなく尊いものが犠牲になることで、生まれ育っていくのではないのか。星が燃えることで、緑の生命が育ち、涙と血が流されることで、人間の生命が大地に誕生するのではないか……。

軍医でもあったカロッサは、この世に誕生した生命が、どれほど奇跡的なことか、どれほど貴重なものか、それを美しい比喩（ひゆ）として歌いあげ、人々に、生命の尊さをうったえているようです。

カロッサの、すぐれて詩的なヴィジョン、壮大な宇宙感覚に、胸がうたれる詩です。

詩

Poésies

シャルル・クロ

Charles Cros

詩とは
またたくまに
過ぎ去ってしまう
美しい一瞬を
胸に抱きしめようという
おろかな望みです

詩とは
森を歩きながら

すべての花を摘もうとする
むなしい試みです

詩とは
だれも受け取ることのできない
あなたの心の中の秘密を
ぼくの眼の中に
おさめてしまおうという
無謀な願いです

（一八七三年　フランス）

ああ、「この一瞬」を、永遠にたもつことができたなら。そんな思いにかられたことは、誰しも経験があるのではないでしょうか。しかし、それが現実にはとうていかなわないことであるのは、誰しも痛切に知っています。

シャルル・クロの詩は、そうしたひとの心にひそむ願望を、じつにあざやかに掬（すく）い上げているようです。

一輪、二輪ではない、すべての花を摘んでみたい。愛する相手が心の中に抱いている秘密を、すべて、自分の眼で見てみたい。

そうした不可能な望み、試み、願いこそが、「詩」の本質であり、源泉ではないのかと、詩人は問うているのでしょう。

平行線

Die zwei Parallelen

クリスチアーン・モルゲンシュテルン
Christian Morgenstern

二本の平行線が
無限のなかへ出ていった

神聖な墓へ
たどりつくまでは
彼らは決して
交差しようとはしなかった

孤独な一対として

十光年のあいだ
彼らは相手のかたわらで過ごした

ただ、ふたつの魂のように
彼らは
永遠の光のなかを
ともにながれた

そして
永遠の光のなかで
彼らはひとつになった
永遠が彼らを
ふたりの天使のように
飲みこんでしまったのだ

（一九〇五年　ドイツ）

恋愛のかたちが、これほどにも宇宙的なスケールで、美しく描かれた詩は、ほかに類を見ません。

絶対に交わることのない一対の平行線。十光年にわたる、孤独な飛翔のあと、ついにこの平行線が交わりのときを迎えるのです。

それは、絶対に不可能なはずの「愛」が、奇跡的に成就する、至福の瞬間なのでしょう。

まさに、「永遠の愛」という言葉が、このSF的な、悠久の時間軸をもつ恋愛詩に、モルゲンシュテルンの祈りとなって、結晶しているようです。

地獄篇第三歌

La Divina Commedia

ダンテ・アリギエリ

Dante Alighieri

この門を過ぎれば
なげきの市
この門を過ぎれば
永遠の哀(かな)しみ
この門を過ぎれば
ほろびゆく命

いと高きもの
全能なるもの

永遠なるものを
のぞけば
この門の前に
ひれふさぬものなど
どこにもいない

この門に
入ろうとするものよ
すべての望みを
捨てよ
すべての悦(よろこ)びを
捨てよ
すべての愛を
捨てよ

（一三〇四年　イタリア）

これぞ、ダンテ。これぞ、地獄篇。

そう言いたくなるような、不滅の名詩です。

それ以降の、世界の芸術界に、かぎりなく多大な影響をあたえた、ダンテの『神曲』。地獄篇、煉獄篇、天国篇と三部からなる至上の詩篇は、まさしく人類の世界遺産ともいうべきものでしょう。

上野の国立西洋美術館の庭には、ロダンの彫刻大作、「地獄の門」があります。地獄の門にうごめく、なげきの人間群像。息をのむほどすばらしい彫刻は、ダンテの詩篇により、霊感の炎を受けて、ロダンが生涯をかけて創り上げた傑作です。

Zwischen Raubrögeln

深淵

Friedrich Nietzsche

フリードリッヒ・ニーチェ

おまえが深淵を愛するなら
おまえは翼をもたなければいけない

（一八八四年　ドイツ）

ニーチェは、めざめると、バッハの「マタイ受難曲」を聴いてから、執筆に向かったと言われています。まさしく、ニーチェのこの言葉には、「マタイ受難曲」のような、かぎりない高みと、かぎりなく深い思想がたたえられているように思われます。

高く高く屹立した峰。酸素が極度に薄い空気のなかで、ニーチェは、我々に、こう檄を飛ばしているかのようです。

「深淵におりていく、魂の勇気をもて」

そのためには、「翼を持て」と。

星をもとめる祈り

Pière pour demander une étoile

フランシス・ジャム

Francis Jammes

ああ、神さま
ぼくに
星をとりに行かせてください
もしも、それができたなら
病んだぼくの
心がしずまることでしょう
でも、神さま
ゆるしてくださらないのですか
ぼくが星をとることを

そして
ぼくのもとに
しあわせが来ることを

神さま
ぼくは嘆いているのではありません
誇りもなく
あざけりもなく
ぼくは黙っています
傷ついた小鳥のように

おお、神さま
おっしゃってください
あの星は「死」でしょうか

もしもそうならば
ぼくに星をください
ぼくは星がほしいのです
今夜はぼくの
冷たい心臓の上に
星をのせて
眠りたいのです

（一九三六年ごろ　フランス）

死を迎えようとしている詩人の、最後の望みは、天の星でした。届かない星を、もしも手に入れることができたなら、幸福に死ぬことができるからです、と、フランシス・ジャムは、神に向かって、祈ります。病んで、死んでいく前に、心から願い、祈るのです。

「星を心臓にのせて、眠りたい」のです、と。

ジャムには、ほかにもさまざまな「祈り」の詩がありますが、この「星を求める祈り」が、もっとも美しく、もっとも悲愁にみちた詩のように、思われます。

最後の詩

Lord may I come?

エリザベス・シダル
Elizabeth Siddal

生命と夜が
落ちていきます
死と昼が
ひらかれていきます
どこへ行こうとも
わたしの道は
石ころだらけの嘆きの道です
神よ
わたしの行く先は

はてしなく遠いのでしょうか

神よ
どうか、わたしを忘れないでください
神よ
わたしの知らないそちら側は
どんなところなのでしょう

死者たちは
青ざめた手に手をとり
歓(よろこ)びにふるえながら
漂っているのでしょうか
大気は
聖霊たちの歌に

みちているのでしょうか
疲れた眼をやすめる
永遠に静かな
湖があるのでしょうか

神よ
どうか、わたしを忘れないでください

（一八六二年　イギリス）

シダルは、ラファエル前派を代表する芸術家、ガブリエル・ロセッティの妻でした。

すばらしい美貌をほこっていた彼女は、耽美的なラファエル前派の画家たちのモデルとして、まさしくミューズであり、美神のような存在でした。

けれど、みずからがモデルとなり、花の盛りで溺れ死んでいく、ミレイの描いた「オフィーリア」の運命をたどるように、シダルも、若くして死んでいきます。

この「最後の詩」には、シダルの哀しみが、せつせつと、つづられています。麻薬に病み、人生に苦しみ、ひたひたと迫りくる死を前にして、
「どうか、わたしを忘れないでください」と、神に祈る彼女の姿には、深く胸を打たれます。

異邦人

L'Étranger

シャルル・ボードレール

Charles Baudelaire

おまえはいったい
なにがもっとも好きなのか
謎の男よ
父か、母か、妹か、それとも弟か？

わたしには父もいない
妹も、弟もいない
では、友達か？
友達？　わたしはその言葉さえ知らない

では、祖国か？
それがどこにあるのかさえ、わたしは知らない
では、美人か？
不死の女神なら、よろこんで好きになるだろう
では、金か？
おまえが神をきらうように
わたしは金がきらいだ
では、おまえはなにが好きなのか？
ふしぎな異邦人よ

わたしが愛するのは雲
ながれゆく雲
あそこを
はてしない彼方(かなた)を

ながれゆく雲

（一八六二年　フランス）

フランソワーズ・サガンの小説に、『すばらしい雲』という作品があります。この恋愛小説の扉に、エピグラフとしてしるされているのが、この詩「異邦人」です。

フランスで、いや、世界中で、もっとも知られていると思われる『悪の華』の詩人、ボードレール。彼がみずからの思いを、率直に託したのが、この「異邦人」ではないでしょうか。もともと詩人というものは、束縛を嫌い、この世界からはみだしているものですが、「ながれゆく雲」をこよなく愛する異邦人の姿には、自由をかぎりなく愛した、さすらいびと、ボードレール自身が、そのまま投影されているようです。

祝福

Bald

イゾルデ・クルツ
Isolde Kurz

やがて
森にそびえる木から
落ちる葉のように
わたしは
逝(ゆ)くでしょう

かがやく朝も
暗い夜も
花も、実りも

わたしは見ないでしょう
わたしの歩んだ道も
草の中に
消えていくでしょう

やがて
誰にもみとられることなく
わたしは
逝くでしょう

そのとき
わたしは
森の道の上に
金の葉を

まきちらしましょう
道行くひとを
祝福するために……

（一九〇五年ごろ　ドイツ）

死をいかに迎えるか。その答えのひとつが、ここに告げられているようです。

「いやだ、いやだ、死にたくない」。「死ぬのが怖い」。「もっと生きていたい」。

いたずらにおびえ、おののき、恐れることなく、こんなふうに、みずからの死を想像することができたら、どんなによいことでしょう。

「道行くひとたちを祝福する、金の葉」

まさに、これこそは、「美しい終わり」のかたちでは、ないでしょうか。

イゾルデ・クルツの祈りの声が聞こえてくるような美しい詩です。

美に捧げる

Hymn to Intellectual Beauty

パーシ・ビッシュ・シェリー
Percy Bysshe Shelley

なにかしら
眼にみえない力の
おそろしい影が
ぼくらのあいだをさまよっている

花から花へとつたわる
夏の嵐のように
さだめのない翼を羽ばたかせながら
うつろいやすいこの世に

それはおとずれてくる

星月夜にひろがる
はかない雲のように
消え去った音楽の
かなしい思い出のように

おお、美の精霊よ
おまえは
どこへ行ってしまったのか？
なぜ、おまえは去り
この世の姿を
涙の谷のままに残していったのか？

まだ少年だったころ
ぼくは精霊をさがしもとめた
しずまりかえった
部屋で、洞窟で、廃墟(はいきょ)で
星あかりの森を歩きながら
うつくしい物語を聴きたいと
願ったものだった……

（一八一六年　イギリス）

『フランケンシュタイン』の作者メアリーを妻に持ち、美と怪奇と神秘をこよなく愛した、イギリスの詩人、シェリー。

准男爵家（じゅんだんしゃくけ）に生まれ、放埒（ほうらつ）で、自由な生き方をつらぬいたシェリーは、愛する帆船エアリエルが嵐にあって沈み、三十歳にみたず、イタリアの海で死にました。

この詩には、「ロマンティックな美と夢」を追い求めてやまなかったシェリーの、多感な少年期への追憶が、甘美につづられているようです。

山の彼方

Über den Bergen

カール・ブッセ

Carl Busse

山の彼方(かなた)
とおい空の下に
幸福とやらが
すんでいる
そんなうわさを聴いたよ
だからぼくは
ゆきかうひとに
なみだをうかべて
たずねたよ

どこにそれはあるのか、と
でも、やっぱり
どこにもみつからなくて
さびしく
帰ってきたよ

山の彼方
とおいとおい
空のはてに
幸福がすんでいる

ひとは
そう言うけれど……

（一八九二年　ドイツ）

わたしの憧れは、あのはるか彼方、遠い雲の、彼方にある……。

ゲーテやヘルダーリン以来、ドイツロマン派のかなでる主調低音は、「彼方への憧憬」でした。こちら側には、真に望むようなものがなく、あちら側にこそ、望みがあり、幸福がある。

そうした思いにかりたてられるように、ドイツロマン派の芸術家たちは、詩や、小説、絵画に、みずからの憧憬をたくして、作品を創りました。

カアル・ブッセのこの詩にも、そうした「憧憬」が脈々と息づいています。

Sagesse

屋根の向こう

ポール＝マリー・ヴェルレーヌ
Paul-Marie Verlaine

屋根の向こう
ほら
空が青くて
とてもしずかだ

木の葉がゆれている
鐘がすみきって
鳴りひびいている

樹のあいだで
小鳥たちが
歌を歌っている

おお、神よ
これが人生というものでしょうか
おだやかに営まれている
この暮らしが

けれど、おまえは
絶えまなく
泣きつづけている

なぜ？

いったいどうなってしまったのか
あれほどにも美しかったのに
どこへ去ったのか
おまえの青春は？
おまえの夢は？

（一八七四年　ベルギー）

あの印象派の画家、モネの絵を思わせるような、透明な色調にみちた世界が、ここには描かれているようです。

なつかしい青春の日々。夏の太陽のような、その輝かしい日々。そして、あやまちと悔いの多かった日々。いま、それらは、いずこへ行ってしまったのか。

窓の外に眼をやると、そこには静かな光景がひろがっている。なんのわずらわしさもない、おだやかな世界がひろがっている。

ランボーに銃を向けて、ブリュッセルのモンス監獄につながれた詩人ヴェルレーヌが、深い悲しみにひたりながら書いた詩集『叡智』の一篇です。

詩人紹介

第一章

ポール・ヴァレリー【一八七一―一九四五】

十月三十日、地中海に面した南仏の美しい港町セットで生まれた。一八九一年ころから、芸術家たちのつどいである、マラルメの「火曜会」に出入りし、すぐれた詩のほか、『レオナルド・ダ・ヴィンチの方法序説』や『テスト氏との一夜』などの思想書を書いて、注目された。一八九八年のマラルメの死後、十七年、沈黙を守った。そして、一九一七年、『若きパルク』を発表し、世界的な文名をあげた。ほかに代表作は、『魅惑』『ナルシス習作』など。二十世紀最高の象徴派、および知性派詩人のひとりと称された。

トリスタン・クリングソール【一八七四―一九六六】

フランスの詩人、美術評論家。その作風は、こよなく自然を愛し、温和な心象風景を描いたもので、象徴派のながれをくんでいる。代表作は、『ボヘミア歌』『シェエラザード』『金の殻』など。

ステファヌ・マラルメ【一八四二―一八九八】

フランスを代表する象徴派詩人のひとり。パリに生まれ、幼くして、母を亡くし、祖母に育てられた。十三歳のときに最愛の妹のマリアが死に、二十歳のとき、恋人マリィとイギリスへ渡った。帰国して、英語の中学教師となり、詩作をつづけた。毎週火曜の夜にひらいたサロン、「火曜会」には、詩人、音楽家、画家、小説家たちがつどった。純粋詩をとなえ、『牧神の午後』『エロディアード』などの詩は、交響楽的な音楽性に富んでいて、ドビュッシーなどの有名な歌曲として歌われている。

エミリ・ブロンテ【一八一八―一八四八】

「ヒースクリフは、あたしよ」とヒロインのキャサリンが叫ぶ、これまでになかった強烈な恋愛小説で、たびたび映画化・舞台化された『嵐が丘』。この傑作を、エミリは一八四七年に書きあげた。イギリス、ヨークシャーのソーントンの牧師の娘として生まれたエミリは、潔癖で、薄幸な人生を送ったあと、三十歳で亡くなった。生前は酷評・無視され、死後に認められたエミリの作品は、全編に噴き上げるような激しい情熱と、暗い魂の叫びにつらぬかれている。姉は、『ジェイン・エア』を書いたシャーロッテ。妹は、小説家のアン。

フリードリッヒ・ヘルダーリン［一七七〇―一八四三］

南ドイツ、シュヴァーベンに生まれる。大学時代は友人のヘーゲルとともに、古代ギリシアにあこがれ、神々を登場させた雄渾（ゆうこん）な詩や小説を書いた。生前は認められなかったが、十九世紀末に、再評価され、ゲーテにつぐ大詩人の地位を占めるようになった。小説の代表作は『ヒュペーリオン』。

デビッド・ハーバート・ロレンス［一八八五―一九三〇］

イギリス中部ノッティンガムシャーで、炭鉱夫の子として生まれた。小学校教師のあと、小説『白孔雀（しろくじゃく）』を発表して注目され、『息子と恋人』で一躍有名になった。ドイツの貴族出身の人妻フリーダと恋におち、欧州大陸へ逃避。帰国し、結婚した。その性的描写で話題になった『チャタレイ夫人の恋人』を書き、独自の生とエロスの哲学をうちたてた。その著作は、小説、詩、評論、戯曲など、七十巻以上におよんでいる。代表的な詩集は、『見よ！　私たちは通りぬけた』『鳥・獣・花』など、予言者的な詩風で知られる。「なによりも純粋な自分になる」。それが、ロレンスの願いだった。

シャルル・ヴァン・レルベルグ【一八六一―一九〇七】

ベルギーに生まれた。象徴派の詩人として、孤独と放浪の暮らしのなかから生まれた詩は、深い思索と人生の洞察にみちている。代表作は、『ゆめうつつ』。

アンリ・ド・レニエ【一八六四―一九三六】

北フランスのオンフルールで生まれ、七歳の時に家族とともにパリに移り住んだ。幻想的な作風の小説で知られる。古典的で格調高い作品を書きつづけ、十巻の詩集と十九巻の小説を出した。主要な詩集は、『粘土のメダル』『水の都』『時の鏡』など。

アルノー・ホルツ【一八六三―一九二九】

東プロイセンのラステンブルクで、薬種（やくしゅ）商人の子として生まれた。豊かな自然にかこまれて、空想好きの少年として育った。シラーやゲーテのような大詩人になろうと、十二歳のときに郷里を飛び出し、首都へ向かった。大都会で苦労した彼は、十八歳のとき、詩集『胸に響けよ』でシラー基金を得て、自然主義の抒情詩人となった。輪廻と転生をテーマにした『ファンタズス』が代表作。

マックス・ダウテンダイ【一八六七―一九一八】

ドイツ、ヴュルツブルク生まれの詩人。その生涯を漂泊のうちに過ごした。こよなく東洋を愛し、日本にも来遊した。色彩と情熱にみちた絢爛たる作風で、繊細で陰影のあるエロティシズムが特徴となっている。旅行記、小説も書いた。代表作は『紫外線』『歌の本』。第一次大戦中、ジャワで監禁され、その地で没した。

ミロス【一八七七―一九三九】

リトアニアのツエレイアで、名家に生まれる。幼いころからパリで暮らし、祖国が独立したあとは、外交官として、駐仏公使などをつとめた。憂愁にみちた象徴主義の詩から、しだいにキリスト教神秘思想の深遠な詩へとうつっていった。代表作は『復帰の賛歌』。

ギヨーム・アポリネール［一八八〇―一九一八］

イタリア軍人とポーランド人の母の間に、私生児としてローマに生まれた。最初の詩集は、『アルコール』。二十世紀初めのパリで、ピカソ、ブラック、ジャリらと交遊し、抒情性をたたえながらも、立体派、未来派、シュールレアリスムと、前衛的な手法の詩作を完成させ、「未来の詩人」と呼ばれた。新しい絵画や音楽をめざす芸術家たちを援護し、二十世紀芸術を推進していったが、第一次大戦で負傷し、スペイン風邪で死去した。代表作は、『カリグラム』。

ゴットフリート・ベン［一八八六―一九五六］

西プロイセンの小さな村マンスフェルトに、牧師であった北欧系の父と、スイス人の母との間に生まれた。ギムナジウム卒業後は、神学と哲学を学び、ベルリンの軍医学校で医学を修め、生涯を医師として過ごした。ベンは詩だけではなく、小説やエッセイも書いた。代表作は詩集『酔える潮』、戯曲『三老人』。小説の代表作は『脳髄（のうずい）』。

ウィリアム・バーンズ【一八〇一―一八八六】

イングランドのドーセットで生まれた。生涯を聖職者として過ごし、敬虔(けいけん)な詩を書いた。単純で素朴な作風に、深い愛情がこめられている。紹介した詩は、一八七九年に発表された詩集に収められていて、「ザ・マザーズ・ドリーム」と題されている。

ヨハネス・ベッヒャー【一八九一―一九五八】

ドイツ、ミュンヘンの裁判官の家に生まれた。ミュンヘン、イエーナ、ベルリンの大学で、哲学と医学を学んだ。最初の詩集『滅亡と勝利』で、表現主義の旗手として、戦争反対の旗をかかげた。一九三三年にナチスに襲われ、ドイツを脱出。フランス、ソヴィエトで暮らす。ドイツの敗戦のあと帰国し、東ドイツの芸術アカデミー会長、さらには文化大臣に任じられた。代表作は『星はかぎりなく燃える』、詩論『詩の力』など。

ウィリアム・ワーズワース【一七七〇―一八五〇】

イギリスに生まれた、ロマン派の詩人。フランス革命に共鳴し、詩人コールリッジと交流し、自伝的な大作『序曲』を書いた。寺山修司は、ワーズワースの詩「青年よ、書を捨てよ」に共感し、戯曲「書を捨てよ、町へ出よう」を書いた。

アンナ・ド・ノワイユ［一八七六―一九三三］

ルーマニア貴族の娘で、パリに生まれた。少女のころから詩を書きはじめ、ノワイユ伯爵(はくしゃく)と結婚したあと、詩集『無量の心情』を発表した。女性らしい、繊細なリリシズムで、最後のロマン派詩人と目された。『永遠の力』『愛の詩篇』などで、恋と死をロマンティックに歌い上げた。

第二章

ハインリッヒ・ハイネ［一七九七―一八五六］

青春期の甘く切ない愛と苦悩を、生涯にわたって歌いつづけたロマン派を代表する詩人。デュッセルドルフの貧しい商人の家に生まれた。『ドイツ・冬物語』、『ロマンツエロ』などがよく知られている。死のまぎわ、胸いっぱいに花を抱いて、「ああ、花。自然は素晴らしい」とつぶやいて息絶えた。

ウォルト・ホイットマン〔一八一九―一八九二〕

代表作は、『草の葉』。アメリカを代表する詩人として、国民的な人気をいまも博している。その作風は、民主主義と楽天的な世界観につらぬかれ、イギリス詩の伝統が用いられている。

シドニー・キーズ〔一九二二―一九四三〕

イギリス、ケント州に生まれた。名門クイーンズカレッジ、オックスフォード大学に学び、一九四三年、チュニジア戦争に参加し、捕らわれの身となった。そして四月二十九日、二十一歳を目前にした若さで、原因不明の死をとげた。死後、『鉄の月桂冠』と『残酷な夏至（げし）』にたいして、ホーソンデン賞をあたえられた。

ウィリアム・シェイクスピア 〔一五六四―一六一六〕

『ロミオとジュリエット』や『ハムレット』『オセロ』『リア王』『マクベス』、さらには『真夏の夜の夢』『ヴェニスの商人』『お気に召すまま』など、運命に翻弄される数々の悲劇や史劇、楽しい喜劇で、いまも世界中で愛され、上演されつづけているイギリスの偉大な戯曲家。ストラトフォードに生まれ、青年時代、ロンドンに出て、俳優となり、やがて座付作者となった。エリザベス朝のルネサンス文学の代表者。洗練のかぎりをつくしたセリフ同様、シェイクスピアの詩は、深い思想と、軽妙なエスプリ、抒情(じょじょう)にみちている。

シャルル・ゲラン 〔一八七三―一九〇七〕

フランス、ロレーヌ地方のリュネヴィルに生まれる。象徴派詩人として、その作風は、内省的な性格をあらわし、しずかな情感と敬虔な祈りにつらぬかれている。代表作は、『孤独な心』『灰を蒔(ま)く人』など。

アルチュール・ランボー［一八五四―一八九一］

フランスのシャルルヴィルに、軍人の子として生まれる。六歳で父と離別。カトリックの母のもとで、きびしく育てられた。幼いころから神童ぶりを発揮。早熟な才能は、十六歳のころの初期詩編に示されている。十七歳のときに、象徴派の大詩人ヴェルレーヌに『酔いどれ船』を送ると、「来たれ、偉大なる魂よ。私は君を待ち、君に焦がれる」とパリに招かれた。『地獄の季節』を発表し、パリ詩壇を震撼（しんかん）させ、若き天才詩人の名をほしいままにしたが、十九歳で詩作をやめた。アフリカなどへの冒険の旅をへたあと、一八九一年十一月十日、三十七歳で死亡した。

フーゴー・フォン・ホフマンスタール［一八七四―一九二九］

ウィーンの裕福なユダヤ人銀行家の家に生まれる。少年のころから、詩、詩劇、戯曲、小説を発表。十七歳で発表した劇詩『昨日』は、ドイツ文学史上まれにみる早熟な天才として、まわりを驚かせた。小説の代表作は『影のない女』で、その文体は端正でかぎりなく美しい。詩集の代表作は、『詩集』。オペラの代表作は、リヒャルト・シュトラウスとの共同による『薔薇（ばら）の騎士』。

レーモン・ラディゲ［一九〇三—一九二三］

画家の子として、パリに生まれた、フランスの小説家、詩人。十四歳で詩作をはじめ、詩集『火の頰』『休暇の宿題』を発表。二十歳前に発表した小説『肉体の悪魔』は、その画期的な作風と、すぐれた描写力、完成度の高さとで、世間に衝撃をあたえた。ほかに小説『ドルジェル伯の舞踏会』。

エミール・ヴェルハーレン［一八五五—一九一六］

ベルギーのアントワープ近郊の村に、工場主の父の子として生まれた。ルーフェン大学を出て、弁護士となったが、第一詩集『フランドルの女たち』を発表。以降、文学活動に専念した。はじめは絶望にみちた詩風だったが、やがて生命を賛美する詩風に転じた。晩年の詩には、北欧の憂愁と神秘がただよっている。代表作は、妻のマルトを歌いつづけた愛の詩集である、『明るい時』『午後の時』『たそがれの時』。

マルスリーヌ・デボルド＝ヴァルモール［一七八六—一八五九］

フランス大革命の後、家が破産。貧窮のなかで育ち、歌手、女優になった。結婚した相手が無能な俳優で、生涯苦労させられた。舞台をしりぞいた後、つらい暮らしの中で、詩作にうちこむ。女性らしい情感と哀（かな）しみにみちた詩は、ボードレール、ユゴー、ヴェルレーヌらによって、絶賛された。

ピエール・ルイス【一八七〇―一九二五】

フランスの小説家で詩人。架空のギリシア女流詩人である、ビリティスを想定し、その生涯の濃密な愛のかたちを描いた『ビリティスの歌』は、開放的なエロティシズムで、ひろく知られている。ギリシア的な官能美にみちあふれたルイスの詩は、ドビュッシーなどに愛されて、すぐれたフランス歌曲となった。他に代表作は小説『アフロディット』。

マリー・ノエル【一八八三―一九六七】

フランスのカトリック詩人。「彼女の純粋な歌には、聖歌の美しさがある」と、アンリ・ブレモンに絶賛された。代表作には、『感謝の歌』『秋の歌と詩』『夜明け』などがある。

レミ・ド・グールモン【一八五八―一九一五】

フランスの詩人。文芸誌「メルキュール・ド・フランス」の創刊にくわわり、二十六年間、時評を書きつづけた。象徴主義運動を熱心におしすすめた。百科全書的な知性を誇り、その活動は、詩のみならず、哲学・思想・文芸にまでおよび、すぐれた評論を残した。知性と官能が融合した詩、『シモオン』が代表作。

ポール・エリュアール【一八九五―一九五二】

パリ郊外の労働者たちの町、サン・ドニで生まれた。中学時代に、肺疾患となり、スイスのダヴォスで療養。このときに知り合ったロシア女性、ガラへの愛が、彼の初期詩の主題となった。ダダイスムやシュールレアリスムの運動に参加し、大戦のさなか、抑圧からの解放とヒューマニズムを主題とした、みずみずしい作品を発表しつづけた。一九二九年に発表された『愛すなわち詩』は、シュールレアリスムの金字塔とされている。ほかに代表作は『詩と真実一九四二年』。死の直前に、みずからの作品から、『万人のための詩』を編んだ。

エルゼ・ラスカー＝シューラー［一八六九―一九四五］

ドイツのエルバーフェルトで、裕福なユダヤ人銀行家の娘として生まれた。二度の結婚をへて、ボヘミアンとして流浪のうちに暮らしたあと、一九三七年にパレスティナに亡命し、一九四五年エルサレムにて貧しさのさなかで死亡した。代表的な詩集に、『冥府の河』。

ライナー・マリア・リルケ［一八七五―一九二六］

旧ボヘミアのプラハに生まれ、父の希望により、陸軍幼年学校、士官学校と進学したが、退学。「ぼくは詩人になるんだ」と、たえず自分に言い聞かせ、十代から詩を書き始めていた彼には、軍人は向いていなかったのである。詩作の日々に、魅惑的なルー・ザロメを知り、深い影響を受けた。このころ、『形象集』『時禱集』を発表。一九〇一年に、彫刻家クララと結婚したが、解消し、パリへ渡った。ロダンに師事し、自伝小説『マルテの手記』を書きあげた。第一次大戦後、スイスに移住。大作『ドゥイノの悲歌』は、その詩の美しさと深さで比類がない。

第三章

オマル・ハイヤーム【一〇四八―一一三一】

ペルシャのネイシャプールで生まれた。ハイヤームとは、「天幕づくり」という意味で、学問を好んだ彼は、数学・天文学・医学・語学・歴史・哲学を探求した。生きることへのあこがれや、悩み、酒をたしなむ愉(たの)しさなどを、おおらかな四行詩(ルバイヤート)で歌った。十九世紀、フィッツジェラルドの英訳により、ひろく世界に知られるようになった。

ジュール・ラフォルグ【一八六〇―一八八七】

ウルグアイのモンテヴィデオで生まれ、フランスで育つ。プロシア皇帝の后につかえ、ベルリンへおもむく。一八八六年に肺結核を病み、帰国した。知り合ったイギリス人女性と結婚したが、翌年の夏に死去した。その詩には、おどけたユーモアにつつまれたなかに、暗い絶望がかくされていて、二十世紀の動乱と不安を予感させる。

ヨーハン・ヴォルフガング・フォン・ゲーテ【一七四九―一八三二】

ゲーテは、書簡体小説の『若きウェルテルの悩み』で、疾風怒濤(しっぷうどとう)期のヨーロッパ文学の代表者となった。『ウィルヘルム・マイスター』では、いかに生きるべきか、主人公の自己形成を描く「教養小説」という文学ジャンルの始祖となった。六十年以上も創作にはげみ、大作『ファウスト』などで、ドイツ文学を世界レベルまでひきあげた。大文豪として、数多くの詩を残し、わが国の作家たちに多大な影響をあたえつづけている。

ヨーゼフ・ヴァインヘーバー【一八九二―一九四五】

オーストリア、ウィーンの孤児院で生まれた。郵便局員となり、夜学に通いつつ、詩作にふけった。代表作は『ウィーン、言葉のままに』『おお人間よ、注意せよ』『神々と霊たちとの間』。言葉の美しさと思想の深さから、オーストリア最大の詩人とたたえられ、一九三六年にモーツァルト賞、一九四一年にグリルパルツァー賞があたえられた。

ハンス・カロッサ［一八七八―一九五六］

南ドイツのイーザル河畔のバート・テルッで、医師の子として生まれた。ギムナジウムに学んだころから、生命の神聖さにめざめ、詩的な宇宙感覚を身につけた。ミュンヘン大学の医科に学んだ。第一次大戦で軍医として従軍し、『ルーマニア日記』を書いた。リルケ、ヘッセとの交流から、詩集『森の空き地に照る星』が書かれた。

シャルル・クロ［一八四二―一八八八］

フランスの科学者にして、詩人。詩的直観をたよりに、エジソンに先駆けて、蓄音機の原理を発見した。詩の本質をみごとに言い当て、「詩とは、虐(しいた)げられた者たちの叫びだ。愛されなかった者たちの涙だ」と告げるクロの詩には、繊細な心情と、いつわりのない深い愛がみちあふれている。代表作は、『白檀(びゃくだん)の小箱』『爪の首飾り』。

クリスチアーン・モルゲンシュテルン［一八七一―一九一四］

ミュンヘンの風景画家の子として生まれた。詩集『絞首台(こうしゅだい)の歌』『パルムシュトレーム』など、風刺のきいた、グロテスクで幻想的な詩風と、宗教的・瞑想的(めいそうてき)な詩風とで知られる。

ダンテ・アリギエリ【一二六五―一三二一】

イタリア、フィレンツェの詩人。文学史的には、中世と近世のあいだに位置する。早くして死んだ恋人ベアトリーチェを、永遠の恋人として、作品によみがえらせた。主著は『神曲』『新生』。文豪ゲーテは、ダンテとベアトリーチェをモデルにして、大作『ファウスト』を描いた。本書に収録した詩「地獄篇第三歌」は、太宰治(だざいおさむ)の小説「道化の華」にも、「ここを過ぎて悲しみの市(まち)」と引用されている。

フリードリッヒ・ニーチェ【一八四四―一九〇〇】

『ツァラトゥストラはかく語りき』が、あまりにも有名な、思想家で哲学者。ザクセンの村レッケンに牧師の子として生まれた。神童をうたわれ、二十四歳でバーゼル大学の古典文献学教授となる。晩年は狂気におちいったが、その作品の影響は絶大で、ヨーロッパ全体、さらには世界中に、ニーチェの哲学はひろまった。代表作は『悲劇の誕生』。その詩は、哲学同様、あくまでも深遠で、雄々しい。

フランシス・ジャム［一八六八－一九三八］

ピレネー山脈のふもと、スペイン国境に近い、トゥルネーで生まれた。生涯をピレネーの山々にかこまれた地で暮らした。その詩はかざりけがなく、自然と人生を、素朴にうたっている。無名の詩人だったが、アンドレ・ジッドとの親交で、ひろく世に知られるようになった。クローデルの導きにより、カトリックに帰依し、神の国に住む喜びを歌った。代表作は『朝の鐘から夕の鐘まで』。

エリザベス・シダル［一八二九－一八六二］

輝くばかりの美しさで、ラファエル前派の画家たちにとってのミューズとなったシダルは、ガブリエル・ロセッティと結婚したが、アヘンチンキの濫用で病み、一八六二年にこの詩を書いたあと、三十二歳の生涯を終えた。

シャルル・ボードレール［一八二一－一八六七］

フランスを代表する詩人。幼くして、実の父を亡くし、母の再婚後、自由奔放でデスペレートな青春を過ごした。書きためた詩を、一八五七年、『悪の華（あくのはな）』と題して、発表。

近代人の憂愁と絶望をうたった初版の『悪の華』は、風俗紊乱を理由に、当局に告発され、一部削除と罰金を命じられた。しかし、毒をはらんだ戦慄美と、ぬきんでた言語感覚、磨きぬかれた詩法により、この詩集は、世界中の詩人たちに絶大な影響をあたえた。文芸・美術批評にもすぐれ、散文詩集『パリの憂鬱』を発表した。

イゾルデ・クルツ【一八五三―一九四四】

ドイツ、シュトゥットガルトに生まれた。イタリアに永住し、南欧の自然を愛し、情熱的で、格調の高い詩をつづった。生涯にわたって、イタリアとルネッサンスは、女流詩人クルツのインスピレーションの源泉となった。代表作は小説『フィレンツェ短篇集』。

パーシ・ビッシュ・シェリー【一七九二―一八二二】

バイロン、キーツらとともに、イギリスを代表するロマン派詩人。南英、サセックスで、准男爵をつぐ家の長男として生まれ、自由でドラマティックな人生を送った。スイスの湖畔で、神秘的なサークルを主宰。そこから、夫人メアリーの怪奇小説『フランケンシュタイン』や、ポリドリの『吸血鬼ドラキュラ』などが生まれた。『西風に寄せる歌』『雲雀』、長編詩『解放されたプロメテウス』などが、代表作。

カール・ブッセ【一八七二―一九一八】

上田敏の『海潮音』に紹介された、「山のあなたの空遠く……」の詩により、ブッセの名は、わが国でひろく知られるようになった。清新な言葉で、人生の機微と喜びを歌いつづけた。その代表作は、『詩集』『新詩集』『放浪者』など。

ポール＝マリー・ヴェルレーヌ【一八四四―一八九六】

フランス、メッス市に生まれ、母と従姉に溺愛されて育った。パリ市役所に勤めながら、優美な音楽性にみちた詩作をつぎつぎと発表し、パリの象徴派詩人を代表する存在となった。一八七〇年にマチルドと結婚するが、詩編『酔いどれ船』を封書で送ってきた十七歳のランボーの鬼才に驚嘆し、一八七二年、妻を捨て、ランボーとのデカダンな放浪生活をはじめた。しかし、個性の激しい衝突から、ランボーを銃で撃ち、投獄された。獄中で、カトリックに帰依し、一八七五年に出獄。詩集『叡智』を発表した。アルコール依存症に苦しみながらも詩作をつづけた。代表作は『言葉なき恋歌』。

あとがき

「夢の美術展」のような「詩集」がつくれたらいいなと、つねづね思ってきました。

その架空の美術展では、人類の美的文化遺産ともいうべき、ぼくの愛する作品の実物が、一堂に会して、一点ずつ、展示されているのです。

そこには、ダ・ヴィンチの「モナリザ」があり、ミケランジェロの「最後の審判」があり、ボッチチェリの「ヴィーナスの誕生」も、ゴッホの「ひまわり」も、モネの「睡蓮（すいれん）」も、ピカソの「ゲルニカ」もあります。

こうした展覧会は、ＣＧやレプリカでは可能かも知れませんが、本物を一斉に並べることは、現実にはありえず、まさに夢の美術展といえるものでしょう。

けれど、詩集なら、どうでしょう。まさに「詩の美術展」のような詩集ができたら、どんなにいいだろう。そこでは、ダンテやゲーテ、シェイクスピア、ニーチエ、リルケ、ボードレール、ランボーといった、古今東西の詩人たちがつくった名詩が、一篇ずつ、ならべてあり、どのページをめくっても、詩人たちがわたしたちに親しく語りかけてくる。しかも、現代のわたしたちに直接届くような、わかりやすい、平易な言葉で。さらには、できるだけ、「ひと目」で、読み取ることができるような、選びぬかれた、数行の言葉で。

そうした詩集をつくれたらと、つね日ごろから考えてきましたが、今回、ある程度その願いを実現させることができたのではないかと思っています。

この詩集に、一点ずつ、編まれている作品は、つくられた時代を超えて、わたしたちに語りかけてくるものばかりです。

傷ついた心を癒してくれるもの。絶望している魂を鼓舞し、生きる希望をあたえてくれるもの。人間へのかぎりなく深い愛にみちているもの。真理をストレートにつたえてくれるもの。自然を愛し、地球を愛し、宇宙を愛し、すべての生命を高らかに賛美しているもの。神に向かって敬虔な祈りをささげているもの。人生への深い洞察にみちているもの。恋愛の歓びと悲しみをうたいあげているもの。

ここには、「もっと強く生きなければ！」と、わたしたちに、力強いメッセージを届けてくれる素晴らしい詩がならべられていて、とりあえずは、「希望の詩」

「恋愛の詩」「宇宙の詩」と、三章に分かれていますが、どのページから鑑賞してもよく、そのときの気が向くままに、ページをめくっていただければと願っています。

ます。

「この詩人は知っている」という、ひろく名の知られた詩人もいれば、「あまり聞いたことがない」という詩人もいるかも知れませんが、いつの時代の、どの国の詩人が、いまの自分にぴったりくるか。どの詩が、いまの心情にうったえてくるか。「詩の美術展」を気ままに散策しながら、そうしたことを考えてみられるのも、一興かも知れません。

なお、この詩集を編むのに際して、素敵な絵を描いてくださったマツオヒロミさん、惜しみなく力をあたえてくださった実業之日本社の岩野裕一氏と藤森文乃さんに、深く感謝いたします。

二〇一七年二月

小沢章友

参考文献

世界名詩集大成　フランスⅡ（一九六二年）、Ⅲ（一九五九年）、Ⅳ（一九五九年）　平凡社
世界名詩集大成　ドイツⅠ（一九六〇年）、Ⅱ（一九五八年）、Ⅲ（一九六〇年）　平凡社
世界名詩集大成　イギリスⅠ（一九五九年）、Ⅱ（一九五九年）　平凡社
世界名詩集大成　アメリカ（一九五九年）　平凡社
フランス名詩選　安藤元雄・入沢康夫・渋沢孝輔編　岩波書店　一九九八年
ドイツ名詩選　生野幸吉・檜山哲彦編　岩波書店　一九九三年
イギリス名詩選　平井正穂編　岩波書店　一九九〇年
明治大正訳詩集　日本近代文学大系五十二　角川書店　一九七一年

[編] **小沢章友**（おざわ・あきとも）

1949年佐賀県生まれ。早稲田大学政経学部卒業後、コピーライターを経て作家に。1993年、『遊民爺さん』（小学館）で第2回開高健賞奨励賞。伝奇ロマン、幻想、ホラー、耽美と幅広い作風で活躍。世界各国の古典文学に通じ、ギリシア神話や三国志など歴史古典の児童向け編訳にも定評がある。

[画] **マツオヒロミ**

1980年島根県生まれ。イラストレーター。架空のデパートをロマンチックに描いたビジュアルブック『百貨店ワルツ』で大きな注目を集める。画集に『ILLUSTRATION MAKING & VISUAL BOOK マツオヒロミ』がある。

公式ホームページ「六花弁三片紅」http://matsuohiromi.com/

※本書は書き下ろしオリジナルです。

じっぴコンパクト新書　317

読まずに死ねない世界の名詩50編

2017年4月5日　初版第1刷発行

編　訳……………小沢章友
画　……………マツオヒロミ
発行者……………岩野裕一
発行所……………株式会社実業之日本社
〒153-0044 東京都目黒区大橋1-5-1 クロスエアタワー8階
電話（編集）03-6809-0473
（販売）03-6809-0495
http://www.j-n.co.jp/
印刷所……………大日本印刷株式会社
製本所……………大日本印刷株式会社

ISBN978-4-408-53703-0（第二文芸）